# 雪孩子

嵇 鸿/文 俞 寅/图

上海教育出版社
SHANGHAI EDUCATIONAL
PUBLISHING HOUSE

**图书在版编目(CIP)数据**

雪孩子 / 嵇鸿文；俞寅图.–上海：上海教育出版社，2015.6(2019.3重印)

（中国童话绘本）

ISBN 978-7-5444-6245-7

Ⅰ.①雪… Ⅱ.①嵇…②俞… Ⅲ.①儿童文学－图画故事－中国－当代 Ⅳ.①I287.8

中国版本图书馆CIP数据核字(2015)第080530号

中国童话绘本

# 雪孩子

| | | | | |
|---|---|---|---|---|
| 作　者 | 嵇　鸿/文　俞　寅/图 | | 邮　编 | 200031 |
| 策　划 | 星星草绘本编辑委员会 | | 印　刷 | 上海中华商务联合印刷有限公司 |
| 责任编辑 | 李　航　王　慧 | | 开　本 | 787×1092　1/16 |
| 书籍设计 | 王　慧 | | 印　张 | 2 |
| 封面书法 | 冯念康 | | 版　次 | 2015年6月第1版 |
| 出版发行 | 上海教育出版社有限公司 | | 印　次 | 2019年3月第6次印刷 |
| 官　网 | www.seph.com.cn | | 书　号 | ISBN 978-7-5444-6245-7/I·0050 |
| 地　址 | 上海市永福路123号 | | 定　价 | 30.00元 |

一场大雪过后，大地变成了一个银色世界。

小木屋上的雪盖得厚厚的。

小木屋里住着兔妈妈和小兔。

雪停了，兔妈妈有事要出门去，小兔拉着兔妈妈说："我也要去！"

　　兔妈妈说："小兔乖，在家烤烤火。"

　　小兔扯住妈妈的衣角："我独自在家多寂寞呀！"

兔妈妈想了想："小兔，妈妈给你堆个雪人做伴吧！"

　　不久，一个胖乎乎的雪孩子就站在跟前了。

　　兔妈妈临走前，回过头来说："小兔，玩一会儿就回屋去烤烤火。"

小兔拉着雪孩子在树林边跳舞，玩得真高兴。

小兔玩累了，和雪孩子道了别，恋恋不舍地回屋去了。

　　火塘里的火快灭了。小兔往火塘里添了些柴，火又旺起来了。

　　小兔在火塘边烘得浑身热乎乎的，一连打了几个哈欠。他爬上床去，不久就睡着了。

　　火越烧越旺，火塘边的木柴被烧着了，可小兔睡得还正香。

雪孩子看见小木屋的窗里冒出黑烟和火星，大喊："不好了！着火啦！"直往小木屋奔去。

　　雪孩子冒着大火冲进屋去 ，大声喊："小兔，你在哪里？"可小兔还没醒。

　　雪孩子因为有烟迷着眼，好不容易才找着了小兔。他抱起小兔冲出门去。小兔的眼睛睁开看了看，又闭上了。

雪孩子冲出大火，将小兔轻轻地放在地上。

雪孩子浑身湿淋淋的，在融化。他越来越瘦，最后化成了一滩水。

　　兔妈妈远远地看见小木屋着了火，慌慌张张向回奔。"小兔！我的小兔！"兔妈妈大声呼喊。

　　小兔醒了，一骨碌爬起来，大声回答："妈妈，我在这儿哪！"他扑进了妈妈的怀抱。

　　小兔告诉兔妈妈，是雪孩子救了他，可是，雪孩子不见了！兔妈妈看着地上，好一会儿，说："多好的雪孩子啊，他已经化成水了！"

　　太阳露出笑脸，暖暖地照着大地，那滩洁净的水渐渐地化成水汽，升上天空，变成了一朵美丽的白云。

啊，那就是雪孩子，他还在向小兔挥手呢！

**嵇 鸿**

生于西子湖畔，长于太湖之滨，长期执教于上海。1951年开始文学创作，出版单行本50余种，散登报刊作品500余篇。童话《小白兔和小灰兔》《雪孩子》长期入选全国小学语文教材。由《雪孩子》改编的同名动画电影获文化部优秀电影奖；同名纸画剧由中日联合制作，流传日、英、美、澳及东南亚等20余个国家和地区。

**俞 寅**

职业画家。毕业于中国美术学院，现居杭州。为人内向，总喜欢往山里跑，看树、看草、看虫，寻找各种动物。不忍心吃肉，只吃素菜。朋友取笑说你就是个适合隐居的人。平日宅在家中画画，闲时爬山远游。世界这么大，善良的人这么多，我要多去看看才好。